Pour – Anne-Marie –

De la part de –
Samuel

Autres livres dans la collection « Les livres-à-aimer »
Bonjour Bébé
A la femme que j'aime
A l'homme que j'aime
A toi que j'aime
Pour un fils extraordinaire
Pour une fille extraordinaire
Lettre à une maman extraordinaire
Lettre à un papa extraordinaire
Pour une grand-mère extraordinaire
Pour un grand-père extraordinaire
Pour un petit-fils extraordinaire
Pour une petite-fille extraordinaire
Pour une sœur extraordinaire
Pour un frère extraordinaire (à paraître)
Pour un(e) ami(e) extraordinaire
Joyeux Noël
Pour une tante extraordinaire

© Helen Exley 1996

© **Édition Exley sa 2001**
13, rue de Genval – B 1301 Bierges
Tél. : + 32 2 654 05 02 – Fax : + 32 2 652 18 34

ISBN 2-87388-153-4
D.7003/1998/18

12   11   10   9   8   7   6   5   4   3   2

Imprimé en Hongrie

Pour une

MARRAINE
Extraordinaire

Illustré par Juliette Clarke

Une marraine comme toi,
c'est la cerise sur le gâteau
de ma vie.

UN LIVRE CADEAU DE HELEN EXLEY

EXLEY
PARIS - LONDRES

Chère Marraine, qui connais tous mes secrets,
qui me fais toutes sortes de bonnes surprises,
je t'envoie plein de câlins et de baisers pour te dire
que je t'aime plus que tout.
Tu es ma meilleure amie.

…

Je sais qu'à ma naissance
tu as versé des larmes de joie et d'émotion
en me tenant – maladroitement – dans tes bras.
Tu m'as trouvé « tout à fait réussi »
et tu as particulièrement admiré mes oreilles,
m'a dit Papa.

…

Une marraine c'est

… celle qui vient à la maternité avec le plus grand

bouquet de fleurs, presque toutes de son jardin,

… celle qui a offert des dragées à mon baptême,

… celle qui dit : « je m'en occupe,

partez tranquillement chez vos amis ! »

…

Tu es présente dans la moitié

de mes plus beaux souvenirs d'enfance.

…

Une marraine,

c'est une deuxième maman qui ne crie jamais,

ne punit jamais

et ne pense qu'à faire plaisir.

…

UNE RELATION PRIVILÉGIÉE

Quand une marraine vient chercher son filleul
à la maternelle, elle veut tout voir,
elle questionne longuement la maîtresse.
Personne n'ose bouger
parce qu'elle a un très beau chapeau.
Tu me tenais par la main et j'étais le plus fier
du monde.

…

Une marraine en un clin d'œil vous mange
ces épinards que vous n'arrivez pas à terminer.

…

Si je pouvais choisir une marraine, c'est toi
que je prendrais.

…

Tu es la meilleure marraine que je connaisse
parce que tu ne me critiques jamais.
Tu ne me dis pas tout le temps : « tu ne peux
pas faire ceci ou cela » ou « tais-toi et mange ».
Parfois même nous faisons exprès des bêtises
ensemble. Mais chut !! Tu te rappelles
quand on jouait à sortir les pires gros mots
qu'on connaissait !

...

Nous avions des secrets même pour mes parents.
Par exemple, chez elle, je pouvais
me coucher tard. On se racontait des blagues
parfois jusqu'à minuit.

...

Le bonheur, c'est découvrir que votre marraine s'en fiche de vos résultats scolaires.

...

DES LIENS PROFONDS

Quand je lui ai récité le poème écrit par moi pour elle, Marraine s'est mise à se moucher et à pleurer.

Elle est pire que Maman.

...

Que ferais-je sans ma marraine ?
Il y aurait un vide impossible
à combler.

Je ne sais plus quand,
mais je me rappelle qu'un beau jour
nos rôles se sont plus ou moins inversés
ou confondus.
J'étais adolescente, tu avais attrapé
une méchante grippe, je te suis venue en aide.
Comme j'étais fière et heureuse
de m'occuper de toi !
La force et la chaleur de nos liens
se renforçaient.
Plus tard, quand je serai mariée
et mère de famille,
quel bonheur ce sera de te retrouver,
de partager nos confidences avec ce mélange
de générosité et de retenue
qui caractérise notre relation.
Chère Marraine.

...

QUI SONT LES MARRAINES ?

Les marraines sont des fées, qui se penchent sur
les berceaux et continuent pendant toute votre vie
à vous aimer et à vous cajoler.

...

Les marraines sont des sorcières bien-aimées
qui se souviennent des cadeaux à vous offrir,
qui soufflent sur une écorchure et zou !
cela ne fait plus mal !
Elles cuisinent des gâteaux au chocolat
et des soufflés glacés aux oranges.

...

Elles vous gâtent exagérément à Noël
et ont toujours des bonbons dans leur sac.

...

Quand j'avais treize ans, c'était la grosse bagarre

à la maison pour la permission de minuit.

Un jour je me suis enfuie de chez moi.

Ce n'est pas chez ma copine Zoé

que je suis allée. C'est chez toi.

Jusqu'à trois heures du matin

tu m'as écoutée avec un tel sourire de bonté

que j'ai pleuré toutes les larmes de mon corps.

Sans que tu m'y forces j'ai compris l'inquiétude

de mes parents et je leur ai téléphoné.

...

J'ai senti que tu m'aimais, que tu me comprenais,

que tu serais toujours mon alliée.

Quel cadeau !

...

TU ME CONSOLES

Quand j'avais un bobo ou un petit
chagrin, quand la maîtresse avait
oublié de me donner un bon point,
quand j'en ai marre de la vie,
quand je dis que personne ne m'aime,
alors tu es là pour me remonter
le moral, tu me prends dans
tes bras et tu me serres très fort,
tu sens délicieusement bon
et la vie repart.

...

Lors du premier chagrin d'amour
de leur filleul (ou de leur filleule),
les marraines réagissent avec énergie
et force pour vilipender le monstre
qui a osé leur faire mal.
Puis, parlant avec humour,
elles dédramatisent la situation.
Ensuite avec joie et réalisme,
elles arrivent à leur présenter l'avenir
sous les meilleurs auspices possibles.
Vraiment les marraines comprennent
bien leurs filleuls !

UNE LONGUE COMPLICITÉ

Les années passent, notre complicité s'épanouit

dans une relation qui me charme de plus en plus.

Quand nous nous retrouvons, je ne suis plus

la petite fille qui courait dans tes bras.

Nous sommes deux adultes qui nous étreignons

affectueusement.

Deux petites dames ordinaires aux yeux des autres.

Deux copines, en réalité, qui rient de

n'importe quoi, qui partagent des moments forts

d'émotion, de joie ou de peine.

...

Quand je suis né, mes parents t'ont choisie

entre mille autres

pour être ma marraine.

Tu m'as suivi pas à pas tout au long

de mon enfance et de mon adolescence,

me couvrant de ta discrète bienveillance,

prête à m'aider, m'écouter ;

toujours là quand j'avais besoin de toi.

Aujourd'hui, je suis adulte

et quand je ferme les yeux et que je pense à toi,

c'est ton visage souriant, plein de douceur,

la tête un peu penchée sur le côté,

le regard plein de bonté

que je vois.

Quel bonheur

d'avoir une marraine comme toi !

...

DES CADEAUX

Ce n'est pas pour ses cadeaux que j'aime ma
marraine ; mais en réalité c'est un peu pour cela
quand même car elle sait mieux que PERSONNE
ce qui me fait vraiment plaisir.

...

Depuis très longtemps,
j'ai décidé de faire des cadeaux à ma marraine.

C'est normal, je trouve.

J'ai remarqué qu'elle les garde précieusement.

Ma boîte décorée de graines
est toujours sur sa commode.

...

Ton plus beau cadeau c'est quand tu me serres
dans tes bras ; c'est douillet,
bien chaud et tu sens bon comme personne.

...

Un jour, tu m'as emmené un week-end à Paris.
On a marché, marché, vu plein de choses,
j'avais les jambes moulues, je n'osais pas le dire
mais maintenant c'est un bon souvenir.

...

Pour mes dix-huit ans, tu m'as offert un collier
de perles. Je trouvais cela ringard.
Maintenant que j'en ai trente,
je suis fière de le porter et je pense à toi.

UNE MARRAINE PARFAITE

Ma marraine est jeune et jolie.

Elle sourit tout le temps.

Elle est aussi très gaie ; on danse

et on fait des bêtises ensemble.

Ce qui est bien

c'est qu'elle ne me dit pas tout le temps

« dépêche-toi ».

...

À chaque anniversaire,

je guette le facteur dans l'attente fébrile

de la carte de vœux

que tu ne manques presque jamais

de m'envoyer.

...

Tu es une marraine parfaite.

...

Les marraines
sont des personnes qui vous font découvrir
la Tour Eiffel, Walibi,
les ballets classiques, la fondue savoyarde,
les Bélugas de l'estuaire,
la Belle au Bois Dormant,
Tintin, Ernest et Célestine.
Et puis un jour peut-être :
Abou-Simbel, Giono,
une croisière dans les Antilles.

J'AI BESOIN DE TOI

J'ai toujours trouvé que tu habitais
trop loin de chez nous.
S'écrire des lettres c'est bien, se téléphoner aussi,
mais se voir c'est quand même mieux.

…

Le soir, je regarde Martin,
l'ours que tu m'as donné à Noël et je le cajole,
lui parle mais parfois le tape aussi
et cela me fait du bien.

…

Maman dit que tu es une fée de l'aiguille,
qu'elle ne saurait jamais coudre d'aussi jolis
vêtements pour ma poupée Hélène.
A propos, est-ce que tu pourrais lui faire
une salopette bleue ?
Elle en a vraiment besoin.

J'avais un peu peur de toi à six ans.

Tu as dit que c'était normal puisque

tu habitais loin

et qu'on allait s'apprivoiser.

J'ai pensé à mon canari que j'apprivoisais

mais toi tu m'appelais « ton petit renard ».

Je ne comprenais pas mais j'adorais.

...

TU ES UNIQUE

Tu es ma marraine à moi tout seul.

Mes parents je les adore mais je dois

les partager avec ma grande sœur

et mon petit frère. Mes grands-parents

aussi, je les adore, mais toi,

tu es là pour moi tout seul, toujours

disponible, toujours à l'écoute.

...

Merci, ma chère petite marraine,

de m'avoir soutenue

envers et contre tout pour l'achat

d'une mobylette. Tu savais

que je n'étais plus un bébé et j'ai suivi

tes conseils de prudence.

Ton mari est drôle.

Parfois je ne l'appelle pas

« Oncle Pierre » mais « Marrain »

et cela nous fait rigoler tous les trois.

…

Quand j'en ai un peu marre de mon boulot,

je te téléphone et quoi que tu me dises,

tu es la bonne voix accueillante et douce

qui me réconforte.

…

Je sais que tu es la sœur de Papa.

Je trouve que tu as toutes ses qualités

et aucun de ses défauts.

Mais ne lui dis pas !

…

C'est toi
qui m'a appris que l'amour,
plus on en donne,
plus on en reçoit.
Merci !

...

<u>CET AMOUR QUI NOUS LIE</u>

Quand j'étais petit j'avais terriblement peur

que mes parents ne meurent tous les deux.

Seule la pensée de ton existence me réconfortait.

J'ai obligé Papa à écrire un papier

disant qu'on me confierait à toi

si un malheur arrivait.

...

Si tu as besoin d'un coup de main, siffle et j'arrive.

Je te dois bien cela.

Tu as tant fait pour moi.

…

Mes seuls rivaux, je crois que ce sont tes chats.

Tu les cajoles beaucoup et ils ont la chance

d'être tout le temps avec toi.

Parfois, quand tu ne regardes pas,

je les tape un peu ou leur tire les moustaches.

…

Merci pour cette chaude écharpe à carreaux

que tu tricotais déjà au printemps ;

maintenant que l'automne s'annonce,

elle me réchauffe le corps et le cœur.

…

C'est tout toi, marraine, de penser à moi souvent

pour les petites et les grandes choses,

tu es la source de tant de bonheur !

…

AMOUR

Jamais je n'oublierai ce séjour à la mer avec toi.

Tu fus la première personne avec qui j'osai

parler de mes craintes par rapport à l'avenir,

le mien, celui de mon pays, celui du monde,

de mes colères devant l'absurdité,

de mes doutes.

Mes parents ne m'auraient pas compris

et mes copains auraient rigolé.

Parler avec toi m'a fait découvrir

que derrière les peurs, il y a un désir immense,

une espérance magnifique.

J'ai découvert – et cela m'a rempli d'une force

qui ne m'a jamais quitté – que j'étais

un être responsable, que j'étais capable

de mener la barque de ma vie,

capable d'affronter les tempêtes.

Et nous regardions les voiliers au large.

…